D1629587

Der Froschkönig

genehmigte Lizenzausgabe
für den FISCHER-VERLAG GMBH,
Remseck bei Stuttgart, 1994

Text: Ingrid Pabst
Illustrationen: Milada Krautmann

ISBN 3-439-90440-7

Der Froschkönig

Es war einmal ein großes Königreich. Vor langer, langer Zeit herrschte dort ein weiser und gütiger König. Er hatte sieben Töchter, die alle sehr schön waren. Die jüngste aber war die schönste von allen, schöner noch als ihre älteren Schwestern.

Sie wohnten alle zusammen in einem großen Schloß. Es hatte viele Türme und noch viel mehr Zimmer. Die Schwestern spielten im Winter dort oft Verstecken, und manches Mal gab es auch dunkle und geheimnisvolle Winkel im riesigen Schloß zu entdecken.

In dem Königreich gab es viele weise Männer und Frauen. Sie kamen oft in das Schloß, um sich mit dem König über wichtige Angelegenheiten des Landes zu beraten, oder die Töchter in allen wichtigen Dingen zu unterrichten. Die Königin war nämlich schon früh gestorben und so hatten die Mädchen keine Mutter mehr.

Rund um das Schloß gab es einen großen Garten. Dort blühten im Frühling wunderschöne, duftende Blumen, aus denen sich die Mädchen dann Kränze für die Haare flochten.

Die Schloßgärtner hatten auch weite Rasenflächen angelegt, auf denen man herrlich spielen konnte. Dort gab es auch einen großen Springbrunnen. Im Sommer glitzerten die Wassertropfen wie lauter Diamanten. Das gefiel den Prinzessinnen besonders gut, und so spielten sie meistens in der Nähe dieses Brunnens. Neben dem Garten gab es auch einen kleinen Park, der zum Spazierengehen einlud und in dem viele Tiere lebten. Da gab es ein kleines Reh und viele Hasen, die den Prinzessinnen manchmal beim Spielen zusahen. Die jüngste Prinzessin, von der wir hier erzählen wollen, ging, so oft sie konnte, in den Garten, um dort zu spielen.

Manchmal nahm sie auch ihren goldenen Ball mit und spielte mit ihm. Den Springbrunnen mitten auf dem Rasen überließ sie allerdings lieber ihren Schwestern. Sie ging immer noch ein Stückchen weiter und achtete darauf, daß ihr niemand folgte.

Sie hatte nämlich einen Lieblingsplatz im Garten, der lag ein wenig versteckt hinter dicken Bäumen. Dort gab es einen alten Brunnen, an dem seltene Blumen wuchsen. Wenn die Sonne schien, kamen hübsche Schmetterlinge herbeigeflattert, und die Prinzessin versuchte sie zu fangen. Wenn sie es schaffte und einen Schmetterling mit ihren Händen umschlossen hatte, freute sie sich sehr.

Dann wartete sie eine Weile und öffnete vorsichtig die Hände wieder. Sie betrachtete die zarten Flügel und bunten Farben und es kam ihr vor wie das Schönste, was sie je gesehen hatte. Die junge Prinzessin liebte alles Schöne, aber sie mochte auch die Tiere sehr. Wenn sie ganz allein im Garten war, konnte es auch geschehen, daß das kleine Reh aus dem Wald zu ihr gelaufen kam. Dann konnte sie ihre Wange an den schlanken Hals des Rehs schmiegen und es sogar streicheln.

Ihren Schwestern erzählte sie davon lieber nichts. Die dachten sowieso meistens nur an ihre Kleider und ihren Schmuck und hätten ihre kleine Schwester vielleicht ausgelacht.

Eines Tages war sie wieder einmal mit ihrem goldenen Ball in den Garten gegangen. Als sie zum alten Brunnen kam, schickte die Sonne ihre warmen Strahlen auf die Erde und die Vögel zwitscherten um die Wette. Die Prinzessin war guter Dinge. Sie hatte ein neues Kleid geschenkt bekommen und fand es wunderschön; so war es nämlich auch wieder nicht, daß die jüngste Prinzessin sich gar nicht für schöne Kleider interessiert hätte.

Das Kleid war gelb wie eine Butterblume und hatte eine rosafarbene Schärpe. Heute hatte die Prinzessin auch ihre kleine Krone aufgesetzt, so daß wirklich jeder sehen konnte, daß sie eine echte Prinzessin war.

Fröhlich hüpfte sie über die Wiesen und sang dabei eines ihrer Lieblingslieder. Immer wieder warf sie ihren goldenen Ball in die Luft und sah ihm nach, wie er in der Sonne glitzerte. Immer höher und höher

warf sie ihn. Manchmal mußte sie tüchtig laufen, um ihn wieder aufzufangen, und einmal wäre sie dabei fast in den Brunnen gefallen. Gerade noch konnte sie sich festhalten, aber o weh! Dabei fiel ihr der goldene Ball aus der Hand und hinunter in den tiefen Brunnen. Da erschrak die Prinzessin fürchterlich.

Sie beugte sich weit über den Brunnenrand und versuchte, den goldenen Ball zu entdecken. Zuerst sah sie nur den Himmel und die strahlende Sonne, die sich auf der Wasseroberfläche spiegelten und ihr eigenes Gesicht natürlich. Sie tauchte vorsichtig ihre Hand in das Wasser, um besser zu sehen. Da, tatsächlich, unten im Wasser zwischen den Seerosen konnte sie ihn schimmern sehen. So tief war der Brunnen gar nicht, wie sie immer gedacht hatte.

Vorsichtig versuchte sie, den Ball herauszuholen. Sie bemühte sich sehr, ihr neues Kleid dabei nicht schmutzig zu machen. Aber so sehr sie sich auch streckte und reckte, ihre Arme waren einfach nicht lang genug. Dann suchte sie unter den Bäumen nach einem langen Ast, mit dem sie den Ball herausfischen könnte. Sie stocherte ein wenig mit dem langen Ast im Wasser herum, aber es gelang ihr nicht, den Ball herauszuholen. Schließlich gab die Prinzessin auf. Sie setzte sich mit ihrem schönen neuen Kleid auf den Brunnenrand und wurde immer trauriger. Sie überlegte hin und her, wie sie ihr Lieblingsspielzeug wieder bekommen könnte, aber es fiel ihr nichts ein.

Sie fürchtete sich außerdem davor, ihrem Vater das Mißgeschick zu erklären. Der hatte sie nämlich immer gewarnt, sie solle nicht in der Nähe des Brunnens mit dem goldenen Ball spielen. Das hatte zwar eigentlich für den großen Springbrunnen gegolten, aber unsere kleine Prinzessin konnte sich ausrechnen, daß ihr Vater beim Schimpfen keinen großen Unterschied machen würde, in welchem Brunnen sie die kostbare Kugel nun verloren haben mochte. Immer verzweifelter wurde die kleine

Prinzessin und schließlich begann sie zu weinen. Dicke Tränen kullerten über ihre Wangen und sie schluchzte zum Herzerweichen. Da kam das kleine Reh aus dem Park und schaute ganz verdutzt, wer bei diesem schönen Wetter so traurig sein konnte. Als es die kleine Prinzessin erkannte, kam es näher, um die salzigen Tränen von den Wangen zu lecken. Aber die Prinzessin bemerkte es gar nicht.

Da, auf einmal ertönte eine laute Stimme. Verwundert horchte die Prinzessin auf. Als sie sich umdrehte, erblickte vor sich, mitten auf einem Blatt in der Wiese einen grasgrünen Frosch.

Sie fragte sich noch, ob er es wohl gewesen sein könnte, der mit ihr gesprochen hatte, da hörte sie ihn noch einmal fragen: „Was hast du denn, meine schöne Prinzessin? Warum weinst du und bist so traurig?"

„Ach", schniefte die Prinzessin vor sich hin und suchte verzweifelt nach einem Taschentuch. Sie sah den Frosch mißtrauisch an, den sie irgendwie gar nicht schön fand, und fragte sich, ob sie überhaupt mit ihm reden sollte. Wahrscheinlich konnte er ihr sowieso nicht helfen.

Aber bevor sie etwas sagen konnte, nahm sie erst einmal ihr Taschentuch hervor und schnaubte kräftig hinein. Der Frosch wartete geduldig, bis die Prinzessin sich die Nase geputzt hatte. „Mein,... mein goldener Ball ist,...ist weg", versuchte die Prinzessin zu erklären

„Ich habe ihn in die Luft geworfen, und plötzlich ist er einfach in den Brunnen gefallen!" Dann zog sie wieder ihr Taschentuch heraus und schniefte noch ein bißchen vor sich hin.

Fast hätte sie wieder richtig angefangen zu weinen, da hörte sie den Frosch sagen: „Ich könnte dir schon helfen und den Ball wieder herausholen." Die Prinzessin staunte nicht schlecht, als sie den Frosch noch einmal sprechen hörte. Schließlich hatte sie noch nie einen Frosch gesehen, der sprechen konnte. Und dann auch noch einen, der ihr helfen wollte.

Dann schöpfte sie aber wieder etwas Hoffnung und fragte: „Würdest du das wirklich für mich tun?" Da legte der Frosch den Kopf zur Seite und antwortete: „Ja, aber was bekomme ich von dir dafür, wenn ich deinen Ball heraushole?" Da kräuselte die Prinzessin ihre kleine Stupsnase und dachte nach. Was konnte sie dem Frosch schon geben? Das einzige, was ihr einfiel, waren ihre Kleider, ein bißchen Schmuck oder Geld. Davon hatte sie nämlich genug, und sie konnte es ja doch nicht ausgeben.

Aber ob der Frosch wohl etwas davon haben wollte? Sie beschloß, ihn einfach zu fragen: „Ich könnte dir ein paar schöne Kleider geben, oder vielleicht etwas wertvollen Schmuck. Sogar meine goldene Krone würde ich dir geben. Ich könnte auch meine Sparbüchse ausleeren und dir das Geld bringen. Was möchtest du? Ich gebe dir, was immer du willst."

Der Frosch überlegte ein bißchen, dann schüttelte er entschieden den Kopf. Er öffnete sein großes breites Maul und sprach:

„Deine Kleider, deine Edelsteine und auch deine goldene Krone möchte ich nicht. Die kannst du gerne behalten. Ich wünsche mir, daß du mich liebhast, ich möchte dein Gefährte und Spielkamerad sein, an deinem Tisch neben dir sitzen, von deinem goldenen Teller essen, aus deinem Becher trinken, in deinem Bett schlafen. Wenn du mir das versprichst, dann will ich hinuntertauchen und dir die goldene Kugel wieder heraufholen."

„Also gut", sagte die Prinzessin, „ich verspreche dir alles, was du willst, wenn du mir nur die Kugel wiederbringst."

Dabei dachte sie aber: „Was der einfältige Frosch da verlangt, das kann ich ihm ruhig versprechen. Der sitzt sowieso den lieben langen Tag im Wasser und quakt." Das hatte es ja noch nie gegeben, daß jemand einen Frosch als Gefährten nahm. Oder habt ihr schon einmal von einem Frosch gehört, der zu Hause mit am Tisch essen durfte und in einem Bett schlafen? Seht ihr, und die kleine Prinzessin konnte sich das auch nicht vorstellen. Nicht einen Augenblick glaubte sie, der Frosch würde eines Tages mit ihr ins Schloß kommen.

Der Frosch aber glaubte ihr und hielt sein Versprechen. Er tauchte mit seinem Kopf unter Wasser und suchte nach dem goldenen Ball. Das war gar nicht so einfach, denn es wuchsen viele Schlingpflanzen im Wasser.

Ungeduldig wartete die Prinzessin oben im Sonnenschein, bis der Frosch wieder heraufkam. Schließlich kräuselte sich die Wasseroberfläche, und das Gesicht des Frosches tauchte auf. Tatsächlich hatte er die goldene Kugel in der Hand und brachte sie nun herauf.

Die Wassertropfen glitzerten noch an der Kugel in der Sonne, als er sie vor der Prinzessin ins Gras warf. Da freute sich die Prinzessin, als sie ihr schönstes Spielzeug wiedersah. Mit einem Satz war sie bei ihrem goldenen Ball und nahm ihn hoch. Dann lief sie mit großen Schritten davon, ohne sich noch einmal umzudrehen, und ohne ein Dankeschön für den Frosch, der ganz verdattert sitzenblieb. Es war inzwischen schon später Nachmittag geworden, und sie mußte sich beeilen, um rechtzeitig nach Hause zu kommen. Die Zofe, die ihr Vater zu ihrer Aufsicht eingestellt hatte, war sehr streng und achtete vor allem auf Pünktlichkeit.

Trotzdem mußte sie vorsichtig sein, damit sie sich an den dornigen Sträuchern nicht ihr hübsches neues Kleid zerriß. Als sie schon ein Stück gelaufen war, blieb sie einen Moment stehen, um Luft zu holen. Da hörte sie hinter sich ein seltsames Geräusch. Es klang wie Flap! Flap! Flap! Erstaunt drehte sie sich um.

Was mußte sie da sehen? Der Frosch kam ihr hinterhergehüpft, und obwohl er mit seinen kräftigen Hinterbeinen wirklich große Sprünge machen konnte, hatte er sichtlich Mühe, die Prinzessin einzuholen. Als der Frosch sah, daß die Prinzessin stehengeblieben war, rief er ihr völlig außer Atem zu: „Warte, warte! Nimm mich mit, ich kann nicht so schnell laufen wie du!" Aber es half ihm nichts, daß er ihr so laut nachquakte, wie er konnte, die Prinzessin rannte einfach weiter. Sie dachte ja gar nicht daran, auf den Frosch zu warten und eilte nach Hause.

Schließlich hatte sie wirklich nicht damit gerechnet, daß der Frosch sie beim Wort nehmen würde und tatsächlich mit ins Schloß kommen wollte. Was würde so ein Frosch im königlichen Schloß auch wollen. Dort gab es keinen Brunnen wie im Garten.

Als sie zu Hause war, und ihre ganze Familie wiedersah, die dort schon auf sie wartete, hatte sie bald den armen Frosch wieder vergessen, der inzwischen zu seinem Brunnen zurückgekehrt war. Dort saß er traurig im Wasser und hoffte darauf, daß die Prinzessin wiederkäme. Aber sie kam nicht.

Am nächsten Tag hatte sich wieder einmal die ganze Königsfamilie mit allen Hofleuten im großen Speisesaal versammelt, um gemeinsam zu Abend zu essen. Ein langer Tisch war gedeckt worden, die Speisen waren bereits aufgetragen, und die Prinzessin saß zusammen mit ihren Schwestern vor ihrem goldenen Teller und ließ es sich schmecken. Eine Kapelle spielte fröhliche Tischmusik und alle waren guter Dinge. Der Hofnarr machte wie immer bei diesen festlichen Abendessen seine Späße, aber die Prinzessinnen waren heute sehr gelangweilt, denn es waren immer die gleichen Geschichten, die der Narr erzählte.

Die Hunde des Königs standen neben dem Thron und warteten, ob etwas für sie vom Tisch abfallen würde. Es waren Jagdhunde mit einem schönen langen glänzenden Fell und schwarzweißen Flecken.

Nach einer Weile machten die Musikanten eine Pause, und auf einmal war von draußen ein seltsames Geräusch zu hören. Es kam von der großen, geschwungenen Marmortreppe, die zu dem Speisesaal hinaufführte.

Plitsch-platsch, plitsch-platsch kam etwas

die Marmortreppe heraufgekrochen, und als es oben angelangt war, klopfte es an die Tür. Im Saal hielt alles den Atem an. Was für ein seltsamer Besuch mochte das sein? Da hörten sie auf einmal eine Stimme rufen: „Königstochter, jüngste, mach' mir auf!" Alle blickten zur jüngsten Königstochter hinüber, um zu sehen, ob sie Besuch erwartete, aber sie machte ein genauso erstauntes Gesicht wie alle anderen. Sie hatte überhaupt keine Idee, wer das sein könnte. Zuerst dachte sie, vielleicht wollte einer der Hofnarren einen Scherz mit ihr machen, aber die waren ja alle mit ihr im Saal.

Ob wohl einer von ihnen ein Bauchredner war? Das sind Menschen, die können etwas sagen, aber man sieht es nicht, wenn man ihnen auf den Mund sieht, und glaubt, die Worte kämen ganz woanders her. Dann schüttelte sie über ihre eigenen Gedanken den Kopf. Nein, das konnte nicht sein.

Nach einer Weile siegte doch die Neugier und die Prinzessin lief zur Tür, um zu sehen, wer da nach ihr riefe. An der Tür angekommen, holte sie noch einmal tief Luft, dann drückte sie vorsichtig die Klinke herunter und öffnete die Tür einen Spalt breit. Schließlich könnte ja auch ein furchtbares Ungeheuer draußen stehen und sie mächtig erschrecken.

Aber außer den Wachen des Königs war niemand zu sehen. Sie wollte gerade die Tür erleichtert wieder schließen, da bemerkte sie, daß vor ihr etwas auf dem Boden saß. Als sie genauer hinsah, erkannte sie den Frosch, der ihren goldenen Ball aus dem Brunnen geholt hatte. Oh, nein! Er war also tatsächlich zu ihr in das Schloß gekommen. Schnell warf sie die Tür mit einem lauten Knall zu, setzte sich wieder an den Tisch und tat so, als wäre nichts geschehen. Aber man konnte ihr ansehen, daß es ihr ganz elend zumute war. Sie wußte nicht, was sie jetzt tun sollte. Sie konnte doch unmöglich den Frosch hereinlassen.

Der König sah wohl, daß ihr das Herz gewaltig klopfte, und sprach: „Mein Kind,

was fürchtest du dich, steht etwa ein Riese vor der Tür und will dich holen?"

„Ach nein", antwortete sie ärgerlich, „es ist kein Riese, sondern ein garstiger Frosch."

„Was will der Frosch von dir?" fragte da der Vater. Es schien auch den König gar nicht zu erstaunen, daß ein Frosch etwas von seiner jüngsten Tochter wollte.

„Ach, lieber Vater", mußte die Prinzessin, nun gestehen, „als ich gestern bei dem Brunnen saß und spielte, fiel meine goldene Kugel ins Wasser. Und weil ich so weinte, hat sie der Frosch wieder heraufgeholt, und weil er es so verlangte, versprach ich ihm, er solle mein Gefährte werden. Ich dachte aber nicht, daß er aus seinem Wasser herauskönnte. Nun ist er draußen und will zu mir herein."

Bei ihren Worten war es im Saal still geworden. Niemand wußte so richtig, ob er lachen oder die Prinzessin bedauern sollte. Alle blickten gespannt zur Prinzessin und zum König herüber. Da klopfte es zum zweitenmal und die Stimme rief: „Königs-

tochter, jüngste, mach' mir auf, weißt du
nicht mehr, was du gestern gesagt hast, bei
dem kühlen Wasserbrunnen? Königstochter, jüngste, mach' mir auf!" Die Prinzessin sah ängstlich zu ihrem Vater herüber.
Am liebsten wäre sie unter dem Tisch verschwunden. Aber das gehörte sich natürlich nicht für eine Prinzessin, die schon
sehr früh lernen mußte, sich würdig zu be-
nehmen.
Dann aber schöpfte sie neue Hoffnung. Ihr
Vater würde sie sicher aus dieser furchtba-
ren Lage befreien, so wie er es immer getan hatte. Er würde den garstigen Frosch
bestimmt von den Lakaien wegschicken
lassen.
Aber der König machte ein sehr ernstes
Gesicht. Im ganzen Land war er als ein
weiser, gütiger Mann bekannt, und er legte
sehr viel Wert darauf, daß auch seine Töchter jedes Wesen mit Respekt und Achtung
behandelten. Deshalb schüttelte er nun den
Kopf, sah mit einem strengen und dennoch
gütigen Blick zu seiner jüngsten Tochter

herüber und sagte: „Was du versprochen hast, mußt du auch halten. Geh nur und mach' ihm auf." Bei diesen Worten verließ die Prinzessin jeder Mut. Am liebsten hätte sie so getan, als hätte sie nicht gehört, was ihr Vater soeben gesagt hatte. Aber sie kannte ihn gut genug. Er schimpfte selten mit ihr, auch wenn sie ihm manchmal Grund dazu gab. Wenn er aber etwas so bestimmt sagte, dann mußte sie ihm ohne Widerspruch gehorchen.

Sie zog eine Grimasse und ging unter den halb belustigten, halb mitleidigen Blicken der ganzen Hofgesellschaft wieder zur Tür. Schweren Herzens öffnete sie diese. Fast hatte sie gehofft, daß der Frosch verschwunden wäre, aber er saß immer noch davor und wartete geduldig auf sie. Die Prinzessin machte eine einladende Handbewegung und schließlich hüpfte er herein. Plitsch-platsch machte es. Dann schloß die Prinzessin die Tür und ging, ohne ihren seltsamen Gast weiter zu beachten wieder zurück zu ihrem Platz. Der Frosch folgte ihr. Überall, wo er gehüpft war, konnte man ein paar Wassertropfen sehen.

Als die Prinzessin sich gerade wieder hinsetzen wollte, da war auch schon der Frosch neben ihr. „Heb mich auf deinen Stuhl!" rief er. Die Prinzessin starrte den Frosch an. Auch das noch, dachte sie und weigerte sich. Ein Frosch auf dem Stuhl. Da würde ja der Stuhl naß, und vielleicht auch ihr Kleid!

Aber der König befahl ihr auch diesmal, die Bitte des Frosches zu erfüllen. Also hob sie ihn auf den Stuhl. Als er aber auf dem Stuhl war, da wollte er auf den Tisch, um näher an den köstlichen Speisen zu sein. Der Prinzessin grauste es bei dem Gedanken, einen Frosch auf dem Tisch sitzen zu sehen, aber schließlich hob sie ihn widerwillig hoch und setzte ihn auf die weiße Tischdecke.

Dann nahm sie selbst wieder Platz auf dem Stuhl und versuchte, den Frosch einfach zu übersehen. Der aber sprach zu ihr: „Schieb mir deinen goldenen Teller näher, damit

wir zusammen essen." Entsetzt sah sie den Frosch an, dann blickte sie hinüber zu ihrem Vater. Das konnte er von ihr doch nicht verlangen, daß sie mit einem garstigen Frosch von einem Teller aß?

Aber der König nickte nur. Also schob sie den Teller etwas zur Seite, damit sich der Frosch bedienen könnte. Langsam nahm sie dann auch wieder ihre Gabel zur Hand, aber der Appetit war ihr gründlich vergangen. Lustlos stocherte sie ein bißchen im Essen herum, und hoffte darauf, daß es bald vorbei sein möge.

Der Frosch ließ es sich gut schmecken, kostete von allen Speisen und auch vom Wein, aber der Prinzessin blieb fast jeder Bissen im Halse stecken.

Schließlich war der Teller leer. Der Frosch guckte ganz zufrieden und sagte dann zu der Prinzessin: „Das hat sehr gut geschmeckt. Jetzt bin ich satt und ein bißchen müde. Nun trag mich in dein Zimmer und mach dein seidenes Bett zurecht. Darin wollen wir uns dann schlafen legen."

Die Prinzessin fing an zu weinen und suchte nach einer Entschuldigung. Sie fürchtete sich vor dem kalten Frosch, den sie nicht anfassen mochte und der nun in ihrem schönen sauberen Bett schlafen sollte. Der ganze Hofstaat tuschelte aufgeregt. Was würde der König wohl sagen? Eine der älteren Schwestern der Prinzessin gab ihr ein Taschentuch, damit sie ihre Tränen trocknen konnte. Voller Mitgefühl legte sie einen Arm um sie.

Der König aber hatte kein Mitleid mit ihr. Er wurde sogar zornig und sprach: „Nun tu, was er sagt. Wer dir in der Not geholfen hat, den sollst du nachher nicht verachten. Außerdem hast du ihm ein Versprechen gegeben."

Es half also nichts. Die Prinzessin wischte sich die Tränen aus den Augen und stand auf. Dann nahm sie mit spitzen Fingern den Frosch hoch und ging mit hängenden Schultern zur Tür. Ein Lakai öffnete diese für sie und die Prinzessin ging hinaus. Langsam schritt sie die Marmortreppe hinunter, lief durch die große Schloßhalle und eine andere Treppe wieder hinauf. Dabei versuchte sie, den Frosch in ihrer Hand nicht anzusehen und war erleichtert, daß er nicht mit ihr sprach.

Am Ende der Treppe war ein langer Gang, der zu den Schlafgemächern der Prinzessinnen führte. Endlich war sie an dem ihren angekommen. Sie öffnete die Tür mit ihrem Ellenbogen und trat ein.

Die Prinzessin liebte ihr Zimmer. Neben dem schönen Himmelbett gab es noch eine kleine Frisierkommode in dem Zimmer, darauf stand immer ein Korb mit frischen Blumen. Das mochte sie besonders. Immer weiter ging sie mit dem Frosch in der Hand. Als sie vor ihrem schönen großen seidenen Himmelbett stand, da schüttelte sie energisch den Kopf und dachte: Nein, in mein Bett darf er nicht. Sie sah sich in ihrem Zimmer um und überlegte, wo sie ihn sonst hinsetzen könnte. Aber sie fand nicht den richtigen Platz für den Frosch. Also setzte sie ihn in eine Ecke des Zimmers. Dort konnte er ruhig die Nacht über bleiben, ohne sie zu stören. Dann zog sie ihr seidenes Nachthemd an und schlüpfte unter die weichen Decken. Eine Weile lag sie da und wartete, aber als der Frosch immer noch in der Ecke saß, dachte sie, er wär's zufrieden und löschte das Licht. Es dauerte nicht lange, die Prinzessin begann gerade zu träumen, da hörte sie den Frosch näherhüpfen. Schließlich war er an ihrem großen Himmelbett angekommen. Die Prinzessin hielt den Atem an. Was konnte der Frosch denn jetzt wieder wollen? Er würde doch nicht einfach so, mir nichts dir nichts, in ihr Bett hüpfen ? Sie bewegte sich nicht und tat so, als ob sie schon schliefe. Aber das half ihr nichts.

Der Frosch saß unten auf dem Boden und rief zu ihr herauf: „Ich bin müde, ich will schlafen so gut wie du, heb mich herauf, oder ich sag's deinem Vater."

Da wurde die Prinzessin bitterböse. Sie machte die Augen auf und schnappte nach Luft. In ihr Bett würde sie ihn bestimmt nicht lassen, auch wenn der Vater es von ihr verlangen würde. Warum sollte sie einen garstigen nassen Frosch mit in ihr trockenes weiches Bett nehmen. Frösche waren doch sonst auch immer im Wasser. Je mehr sie darüber nachdachte, desto wütender wurde sie.

Der Frosch saß immer noch auf dem kalten Boden und wiederholte freundlich, aber bestimmt, seine Bitte. Schließlich zündete die Prinzessin mit zitternder Hand die Kerzen auf ihrem Nachttisch an. Dann warf sie die Decken beiseite, in die sie sich gerade noch gekuschelt hatte und sprang mit einem Satz aus dem Bett. Sie lief auf die andere Seite hinüber, griff nach dem Frosch und warf ihn mit aller Kraft gegen die Wand. „Nun wirst du Ruhe geben, du garstiger Frosch", schimpfte sie mit schriller Stimme. Als sie ihn an die Wand geworfen hatte, erschrak sie selbst über ihren Wutausbruch. Sie wollte ihm doch im Grunde nichts zuleide tun, denn eigentlich hatte sie alle Tiere gern. Nur einen kalten garstigen

Frosch wollte sie wirklich nicht mit sich ins Bett nehmen.

Aber gerade, als sie wieder hinsah, um nachzusehen, ob ihm wohl etwas geschehen war, da stand auf einmal ein schöner junger Königssohn vor ihr, und der garstige Frosch war verschwunden. Der Prinz hatte sanfte, freundliche Augen und lächelte ihr zu. Die Prinzessin schaute sich um und suchte nach dem Frosch, aber sie konnte ihn nicht finden. Dann rieb sie sich die Augen, weil sie dachte, sie würde träumen.

Aber als sie die Augen wieder öffnete, stand der Prinz immer noch an derselben Stelle. Die Prinzessin konnte gar nichts sagen, so überrascht war sie. Da kamen schon ihre Schwestern und ihr Vater herbeigeeilt, denn man hatte den Lärm in ihrem Zimmer gehört.

Verwundert sahen sie alle auf den Prinzen, und als die Prinzessin immer noch kein Wort herausbrachte, begann der Prinz mit xeiner dunklen wohlklingenden Stimme zu

sprechen. Er erzählte, daß er von einer bösen Hexe verwünscht worden war, weil er sie nicht als Gefährtin an seiner Seite haben wollte. Sie hatte ihn dazu verdammt, ein Dasein als ungeliebtes Lebewesen zu führen. So kam es daß der Prinz einige Zeit als Frosch im Brunnen sein Leben fristete. Er hatte solange im Brunnen bleiben müssen, bis eines Tages eine junge schöne Königstochter ihn als Gefährten mitnehmen würde.

Nach langer Zeit war er also endlich erlöst. Es war nämlich nicht so einfach, eine Königstochter zu finden, die einen Frosch mit in ihr Zimmer nahm. Auch wenn der alte weise König nachgeholfen hatte, so lächelte der Prinz doch dankbar die Prinzessin an, die staunend und mit großen Augen der Geschichte gefolgt war.

Schließlich bat der Königssohn den alten, weisen König um die Hand der schönen Prinzessin. Der König sah zu seiner jüngsten Tochter und erkannte sofort, daß sie den jungen Mann von Herzen liebte. Da stimmte der Vater zu, und bald wurde im Schloß eine große Hochzeit gefeiert, zu der alle herzlich eingeladen wurden.

Das Fest war prachtvoll und dauerte eine ganze Woche. Als es zu Ende war, waren alle ganz erschöpft und gingen endlich schlafen, um sich auszuruhen.

Am nächsten Morgen kam ein Wagen vorgefahren. Ein königliches Wappen zierte seine Türen und innen war er ganz mit rotem Samt ausgeschlagen. Der Wagen wurde von acht weißen Pferden gezogen, die allesamt mit bunten Federn geschmückt waren. Hinten auf dem Wagen stand der Diener des Königssohns. Das war der treue Heinrich.

Der war so betrübt gewesen, als sein Herr in einen Frosch verwandelt worden war, daß er drei eiserne Bande um sein Herz legen ließ, damit es ihm nicht vor Schmerz und Traurigkeit zerspränge.

Inzwischen waren natürlich Boten in das Königreich geschickt worden, aus dem der junge Königssohn stammte. Als dort die

Nachricht eintraf, daß der Prinz endlich von einer jungen hübschen Prinzessin erlöst worden war, brach überall auf den Straßen Jubel und Freude aus. Die Untertanen schmückten die Straßen mit Blumen, und nun wartete man schon ungeduldig auf die Heimkehr des jungen Königs.

Am Hof stellte man ein wahrhaft königliches Gespann zusammen und schickte den treuen Heinrich mit der königlichen Kutsche los, den jungen König und seine schöne Frau in sein Reich zu holen.

Nun hieß es Abschied nehmen. Die Prinzessin war zwar sehr glücklich mit ihrem jungen Gemahl, aber es fiel ihr trotzdem schwer, ihrem Vater und ihren Schwestern Lebwohl zu sagen. Der Prinz bedankte sich noch einmal beim König für die freundliche Aufnahme, dann gingen sie die Treppen hinunter zur Kutsche. Dort wartete schon der treue Heinrich, um ihnen in die Kutsche zu helfen.

Fürsorglich nahm der Prinz den Arm seiner Prinzessin und half ihr die Stufen hinauf in die Kutsche. Dann kletterte er auch hinein. Der treue Heinrich klappte die Stufen wieder hoch, verschloß die Tür und wünschte dem jungen Paar eine gute Reise. Dann sprang er hinten auf die Kutsche auf und gab den Befehl zur Abfahrt. Viele weiße Taschentücher winkten zum Abschied, und bald konnten sie das Schloß nicht mehr sehen.

Als sie ein Stück des Weges gefahren waren, da hörte der Königssohn, daß es hinter ihm krachte, als sei etwas gebrochen. Erschrocken drehte er sich um und rief hinaus zu seinem Diener: „Heinrich, der Wagen bricht!" Doch Heinrich rief mit fröhlicher Stimme und voller Erleichterung zurück: „Nein, Herr, der Wagen nicht, es ist ein Band von meinem Herzen, das da lag in großen Schmerzen, als Ihr in dem Brunnen saßt, und als ihr ein Fröschlein wart." Und richtig, eines der eisernen Bänder, die der treue Heinrich sich um die Brust hatte legen lassen, war entzweigesprungen und beengte ihn nun nicht mehr.

Als sie wieder ein Stück gefahren waren, da krachte es wieder und wieder, und der Königssohn meinte immer, daß der Wagen bräche. Dabei waren es doch nur die Bande, die vom Herzen des treuen Heinrich absprangen, weil sein Herr erlöst und glücklich war.

Schließlich kamen sie alle wohlbehalten im Schloß des Prinzen an, wo ihre Ankunft groß gefeiert wurde. Der treue Heinrich aber diente noch lange Zeit seinem Herrn, der glücklich und zufrieden mit der Prinzessin lebte und weise und gütig sein Reich regierte.

A MESSAGE TO PARENTS

Reading good books to young children is a crucial factor in a child's psychological and intellectual development. It promotes a mutually warm and satisfying relationship between parent and child and enhances the child's awareness of the world around him. It stimulates the child's imagination and lays a foundation for the development of the skills necessary to support the critical thinking process. In addition, the parent who reads to his child helps him to build vocabulary and other prerequisite skills for the child's own successful reading.

In order to provide parents and children with books which will do these things, Brown Watson has published this series of small books specially designed for young children. These books are factual, fanciful, humorous, questioning and adventurous. A library acquired in this inexpensive way will provide many hours of pleasurable and profitable reading for parents and children.

The Three Little Pigs

Text by Maureen Spurgeon

Brown Watson

ENGLAND
Art and text copyright © 1990 Brown Watson Ltd. England.
All rights reserved.
Printed and bound in Germany

THERE was once a family of three little pigs.

They were very happy little pigs — except for one thing.

Each of them did so wish that he could have a proper home of his own.

It was all they had ever hoped for, all they had ever dreamed about.

Then, one day, the first little pig said: "We have talked about having a home of our own long enough. Why not set to work, with each of us building a house for ourselves?"

"Good idea!" said the second little pig.

"I shall start at once!" cried the third little pig. And off he went, as fast as his trotters could carry him.

Before long, he came across a man raking through a whole pile of straw.

"Good man," said the little pig, "may I have some straw to build myself a house?"

The man laughed. "Yes, if you are sure that is what you want," he said. "Take as much as you like." The little pig was so pleased.

All day long, the little pig worked so hard, until, at last, the little house of straw really looked cosy enough to live in for always.

But, as the sun set, and the little pig sat thinking what a nice little home he had, there came three loud knocks at the door. Then, a fearsome shadow appeared .....

"Little pig!" growled the wolf.
"Little pig! Let me come in!"

"No, no!" squealed the pig. "By
the hair on my chinny-chin-chin, I
will NOT let you in!"

"Then," roared the wolf, "I'll HUFF and I'll PUFF and I'll BLOW your house in!"

So, he HUFFED . . . . .

And, he PUFFED . . . . .

And he BLEW the house in!
That poor little pig!
He only just managed to run
away in time.

"Good man," he said to a woodcutter, "may I have some wood to build myself a house?"

"Wood, to build a house?" laughed the woodcutter. "Take as much as you like!"

Whilst all this was going on, the second little pig had been busy, too. He had decided that he would like his house built of wood.

The second little pig worked
hard all day long, sawing and
banging and hammering — until,
at last, the house of wood was
almost ready to live in.

But no sooner had he settled in, than there was a knock at the door.

"Little pig!" roared the wolf. "Little pig! Let me come in!"

"No, no!" cried the pig. "By the hair on my chinny chin-chin, I will not let you in!"

"Then," roared the wolf, "I'll HUFF, and I'll PUFF, and I'll BLOW your house in!"

So, he HUFFED . . . . And, he
PUFFED . . . .
And, he BLEW that house in!
That poor little pig! He only just
managed to run away in time!

And as for the first little pig — he had been just as busy as the other two. But first, he had spent time looking at other houses. They all seemed to be made of bricks . . . . .

So, off he went to find a builder.
"Good man," he said, "will you
let me have some bricks to build
a house?"

"I think so," answered the man.
"You will also need some sand
and cement."

Well, the first little pig worked so hard! And by the end of the day, even the builder said he had built a fine house to live in.

That evening, there was a loud banging at the door.

"Let us in!" squealed a voice.

"The wolf has blown our lovely new houses in!"

They were hardly inside the little brick house when there was a loud knock at the door.

"Little pig! Let me come in!" And this time, nobody answered.

The wolf was so angry!
"I'll HUFF," he roared, "and I'll PUFF, and I'll BLOW your house in!"
So, he HUFFED.
And, he PUFFED.

But he could NOT blow the house in! So, he climbed up on the roof! He thought he could get into the house by going down through the chimney!

But the little pigs soon had a fire burning. So, by the time he had finished, the wolf was sorry he had ever tried getting into the strong little house built of bricks!